Na Luchorpáin
agus na Cnónna Feasa

Donnchadh Mac an Ghoill a scríobh

Colin Lorimer a dhear agus a mhaisigh

An Gúm
Baile Átha Cliath

Bhí an fómhar tar éis filleadh go Pláinéad Trogan agus bhí na bradáin, i loch fíorspeisialta amháin, ag ullmhú d'ócáid fhíorspeisialta – bhí Liú beag le bheith ina Bhradán Feasa.

"Ach abair liom arís, a Dhaideo," arsa Liú beag, "cén fáth a ndeir siad Bradán Feasa?"

"Mar tá fios ag na bradáin feasa!" arsa Ossár go foighneach.

"Fios faoi céard?"

"Faoi gach rud!"

"Ach, a Dhaideo," arsa Liú go himníoch, "an bhfuil tú cinnte go dtitfidh na cnónna ón gcrann feasa inniu?"

Lig Ossár gáire as. "Is cuimhin liom nuair a bhí mise i mo ghearrstócach cosúil leatsa bhí mé chomh neirbhíseach céanna ach thit na cnónna mar a thiteann siad ar an lá seo, gach fómhar, le míle bliain anuas."

Ach, i bhfad ó Phláinéad Trogan, i gcúinne dorcha sa spás, tá pláinéad eile. Pláinéad ar a dtugann siad Pláinéad na mBolcán. Níl aon solas ann ach solas dearg na laibhe te.

Tá rí ar an bpláinéad seo. Dearg an t-ainm atá air. Taitníonn surfáil go mór leis. Ach, ní surfáil ar na tonnta farraige atá i gceist – ó, go deimhin ní hea – tá siadsan i bhfad ró-fhuar. Bíonn Dearg agus a chairde ag surfáil ar na sruthanna teo laibhe a shníonn amach ó lár na mbolcán.

Lá amháin, dúirt sé lena chairde teo – is é sin, le Ruibh, Aodh, Flann agus Aibhleog:

"Táim bréan de bheith ag surfáil ar an bpláinéad seo! Tá fíortheas ag teastáil uaim! D'fhéach sé ar a chairde: "Nach bhfuil duine ar bith agaibh in ann a rá liom cá bhfuil surfáil mhaith le fáil?"

Faoi dheireadh, labhair Aodh: "Bhuel, níl a fhios agam cá bhfuil a leithéid de shurfáil le fáil – ach tá a fhios agam conas is féidir an fios sin a fháil!"

Agus d'inis Aodh dána faoi na cnónna speisialta a thiteann ón gcrann feasa ar an lá seo gach bliain.

"Bhuel," arsa Dearg, ag léim le háthas, "cén fáth a bhfuilimid ag fanacht anseo? Suas libh ar bhur dtonnchláir, a chairde! Táimid chun cuairt a thabhairt ar Phláinéad Trogan láithreach bonn!"

Agus, i bpreabadh na súl, bhí Dearg agus a chairde imithe mar thintreach tríd an spéir.

Ar ais ar Throgan, bhí cnó ar tí titim. "Féach, a Dhaideo," arsa Liú, agus na sceitimíní air.

"Bí réidh anois, a thaisce," arsa Ossár!

Ach, go tobann, chonaic siad stríoc dhearg sa spéir ghorm. Agus, sula bhféadfá "Bainne bó bleachtáin" a rá, bhí cúigear fear beag dearg ina seasamh faoin gcrann feasa.

Níorbh fhada go raibh babhla lán le cnónna feasa ag Dearg agus gan oiread is cnó amháin acu fágtha ar an gcrann bocht. Ansin, chuir Dearg ceann de na cnónna ina bhéal agus shlog sé siar go hocrach é. Las a shúile le fios agus le heolas.

"Anois, a chairde," arsa sé, "suas libh ar bhur dtonnchláir agus leanaigí mé!" Agus sula bhféadfá "Copóg copóg, shuigh mé ar neantóg!" a rá, bhí na cairde imithe ina stríoc dhearg tríd an spéir.

Díreach ag an am sin bhí Fionn, An Naíonán Cosmach, ina shuí ar a phluid draíochta, i bhfad amach sa spás. Bhí sé ag breathnú ar Réaltnéal Oiríon.

"Nach bhfuil na dathanna sin go hálainn," arsa Fionn leis féin. "Ach, is dócha go bhfuil sé thar am dom fáil amach céard atá ag tarlú sa chruinne inniu!"

Leis sin, chuir Fionn a ordóg ina bhéal agus thosaigh sé ag sú uirthi. Chomh luath is a rinne sé sin, thosaigh sraith íomhánna ag rith trína intinn ar nós pictiúir teilifíse. Ach, ansin, chonaic sé go raibh rud éigin mícheart ar Phláinéad Trogan – bhí na bradáin feasa gan cnónna feasa.

"Dearg," arsa Fionn os ard, "agus a chairde dána! Caithfidh mé dul agus labhairt le hOssár!"

Ar iompú do bhoise, d'fhág Fionn slán ag Réaltnéal Oiríon agus bhí sé ar a bhealach go dtí Pláinéad Trogan.

Ar ais ar Phláinéad Trogan bhí Aoife bheag ag súgradh leis na Lúchorpáin, Canó agus Lópán.

"Ba mhaith liom an domhan a shábháil!" arsa Aoife.

Níor luaithe an méid sin ráite ag Aoife, ná cé a bhí ina shuí os a comhair ach an Naíonán Cosmach. D'inis sé di faoi na cnónna goidte agus faoi Dhearg agus a chairde dána.

"Caithfimid dul go dtí Pláinéad na mBolcán agus na cnónna a fháil ar ais!" arsa Fionn.

"Gheobhaimid ár spásárthach ó bhun na farraige!" arsa Lópán.

"Ceart go leor," arsa Aoife, "cuirfidh mé mo chulaith Lúchorpáin orm!" Culaith iontach í seo a thug Canó agus Lópán di ionas go mbeadh sí in ann snámh faoin bhfarraige cosúil leo féin.

Gan mórán moille, bhí siad ar ghrinneall na farraige. Ansin, chonaic siad fear beag aisteach ag spágáil ina dtreo.

"Hé hó thall!" a bhéic Capa. "Ba mhaith liomsa dul libh!"

"Bhuel, ní féidir leat!" arsa Canó go crosta.

"Bú hú!" a chaoin sé. "Bú hú, níl grá ag aon duine domsa! Ú bhá há há! Is Capa bocht trua mé gan aon chairde faoin bhfarraige! Bú hú hú!"

"Á," arsa Aoife, "nach féidir é a thabhairt linn?"

"Ní féidir!" arsa Canó.

"Ach," arsa Lópán, "b'fhéidir go mbeidh sé in ann cabhrú linn – tá sé iontach láidir, tá a fhios agat!"

Ghéill Canó ansin.

"A Chapa," ar siad le chéile, "is féidir leat teacht linn!"

"Yipí!" a bhéic Capa agus léim sé le háthas, "beidh an-spraoi againn!"

Níorbh fhada ansin go raibh siad ina suí sa spásárthach. Chuir siad orthu a gclogaid. Cheangail siad a gcriosanna sábhála. Chláraigh Canó na comhordanáidí treoraithe. Chuir Lópán na hinnill ar siúl, agus bhí siad réidh.

"A deich, a naoi, a hocht, a seacht, a sé, a cúig, a ceathair, a trí, a dó, a haon, a náid, *PLÉASC AS!*" arsa Canó in ard a ghutha, agus bhí siad ar a mbealach.

Shnámh an t-árthach tríd an uisce, ansin phléasc sé amach as an uisce suas tríd an aer. Sula bhféadfá "Gealach gheal ghintlí" a rá, d'fhág siad slán ag Pláinéad Trogan agus bhí siad ag taisteal tríd an spás ar luas mór.

Tamall beag ina dhiaidh sin, ar Phláinéad na mBolcán, bhí Dearg agus a chairde ina suí chun lóin. Ansin, go tobann, shiúil na Lúchorpáin agus a gcairde isteach.

"Ha ha!" arsa Dearg go síodúil. "Tá fáilte agus fiche romhaibh go léir!" Ach dúirt sé i gcogar lena chairde féin: "Tá plean agamsa a bhainfidh siar as na Lúchorpáin!"

"Ghoid tú na cnónna feasa," arsa Fionn go grod, "ó na bradáin feasa agus táimid anseo le hiad a fháil ar ais!"

"Ó!!" arsa Dearg, ag ligean air go raibh ionadh mór air, "ní raibh a fhios agam gur leis na bradáin feasa iad. B'fhada uaimse aon rud a ghoid ó na bradáin feasa!"

"Bhuel," arsa Fionn, "tabhair ar ais dúinn iad!"

"Ó tabharfaidh, tabharfaidh gan amhras, ach," arsa Dearg, "beidh cupán tae agaibh ar dtús!"

"Níl aon am againn le haghaidh sin!" d'fhreagair Fionn.

"Ó bhó bhó go deo," arsa Dearg, ag ligean air go raibh sé thar a bheith gortaithe. "Nach sibhse atá mímhúinte! Ag teacht isteach i mo theach agus gan oiread agus cupán tae a ól!"

"Bhuel, b'fhéidir cupán amháin," arsa Fionn, é ag géilleadh beagán. Agus, leis sin, shuigh Canó, Lópán, Aoife, Capa agus Fionn síos ag an mbord.

Chuaigh Aibhleog timpeall le taephota mór agus thug Flann píosa mór cáca do gach duine. Tamall ina dhiaidh sin thóg Dearg amach traidhfil mhór agus thosaigh sé á roinnt.

"B'fhéidir," arsa Lópán le hAoife, "nach bhfuil an Dearg seo chomh dona sin, tar éis an tsaoil."

"Tá an traidhfil go deas ar aon nós," a d'aontaigh Aoife.

Ach ní raibh cuma ró-shásta ar Aodh. Rinne sé cogar i gcluas Dheirg.

"Cogar, a Rí," arsa sé "nuair a dúirt tú go raibh plean agat cheap mé go raibh sé i gceist agat breith ar na Lúchorpáin ghránna seo agus iad a chaitheamh síos i mbéal an Bholcáin, isteach sa laibhe the! Ach, anois, feicim nach bhfuil tú ach ag líonadh a gclabanna gránna lenár gcáca agus traidhfil, agus nach mbeidh aon rud fágtha dúinne féin le haghaidh amárach. Ní thuigim é!"

"Sea," arsa Dearg os íseal, "nuair a bheidh a mbolg líonta acu titfidh siad ina gcodladh. Ansin, beidh sé éasca dúinne breith orthu agus iad a chaitheamh i mbéal an Bholcáin!"

"ÚÚ!" arsa Aodh i gcogar, "an-phlean go deo! Go deimhin, ní bheidh do leithéid arís ann!"

Leis sin, thóg Dearg amach babhla mór custaird agus thosaigh sé ag roinnt an chustaird le spúnóg mhór.

"Á, tá seo bréan!" arsa Aoife. "Beidh mé tinn!"

"Á," arsa Dearg, "ná bí drochmhúinte!" Agus chuir sé spúnóg mhór custaird isteach i mbéal Aoife bhocht.

Faoin am sin, bhí Fionn tite ina chodladh agus níorbh fhada go raibh Canó, Aoife, agus Lópán ag srannadh leo freisin.

Ach, má bhí, níorbh amhlaidh do Chapa. Bhí seisean ag lí a phláta.

"Neam neam!" arsa sé. "Céard atá ann mar mhilseog?"

"Milseog!!??" arsa Dearg, Aodh, Ruibh, Flann agus Aibhleog d'aon ghuth. Níorbh fhéidir leo a chreidiúint go bhféadfadh aon duine an méid sin a ithe agus, fós, ocras a bheith air. Chuir siad babhla mór glóthaí os a chomhair. D'fhéach Capa ar an mbabhla glóthaí. Ansin, d'fhéach sé síos ar a bholg. Bhí sé cosúil le balún mór ag teacht amach thar a chrios. B'éigean dó an crios a oscailt. Ach níor leor sin. B'éigean dó cnaipí a bhríste a oscailt freisin!

"ÁÁ!! Tá sin níos fearr!" arsa Capa agus lig sé osna. Ansin, shlog sé siar an babhla mór glóthaí d'aon iarraidh amháin.

"Sea," a dúirt Capa, "bhí sin go deas cinnte, ach tá ocras orm go fóill!"

"Ocras ort!!??" arsa Dearg, Aodh, Ruibh, Flann agus Aibhleog le hiontas. Níorbh fhéidir leo a chreidiúint.

"Gabh mo leithscéal," arsa Dearg, "ach níl aon rud fágtha againn; tá sé uile ite!"

"Ach," arsa Capa, "céard faoin mbabhla sin in aice leatsa, a Dheirg?" Babhla na gcnónna feasa a bhí ann.

"Ó!" a d'fhreagair Dearg, "níl aon rud sa bhabhla sin!"

"Ó, creidim go bhfuil!" arsa Capa.

"Níl ar chor ar bith!" arsa Dearg, agus an babhla á bhogadh aige go dtí an taobh eile den bhord.

"Níl sé deas a bheith ag insint bréag!"

"Nílimid!" arsa Dearg, Aodh, Ruibh, Flann agus Aibhleog.

"Ó tá!" arsa Capa.

"Níl!"

"Tá!"

"Níl!"

"Tá sibh ag cur feirge orm anois," a d'fhógair Capa, "agus ní bhím chomh deas sin agus *FEARG ORM!!*"

Agus, leis sin, sheas Capa suas agus rug sé ar an mbord. Thosaigh sé ar an mbord a tharraingt chuige. Thosaigh Dearg agus a chairde ag tarraingt an bhoird sa treo eile. Go tobann, bhris an bord ina dhá leath.

Caitheadh an babhla leis na cnónna feasa suas san aer.
Dhúisigh Fionn, Lópán, Canó agus Aoife leis an ngleo.
Chonaic Fionn na cnónna ag eitilt tríd an aer. Léim sé suas
ar a phluid draíochta agus d'eitil sé suas go dtí na cnónna.
Rug sé orthu.

   Nuair a chonaic Dearg go raibh na cnónna ag Fionn
rinne sé féin agus a chairde iarracht greim a bhreith air.
Thosaigh Aoife, Canó agus Lópán ag iomrascáil leo.

Nuair a chonaic Capa cé mar a bhí cúrsaí, rith sé amach an doras, rug sé ar na tonnchláir a bhí ag Dearg agus a chairde, agus chaith sé isteach iad i sruth laibhe a bhí ag rith in aice leis an teach.

"Ó féach," arsa Ruibh, "tá ár dtonnchláir ag imeacht le sruth!"

"Ó féach," arsa Aibhleog, "rinne Capa dearmad a chrios a cheangal agus anois tá a bhríste timpeall ar a rúitíní, ha ha ha!"

Sula bhféadfá "Bailigh na tonnchláir!" a rá, rith Dearg, Aodh, Ruibh, Flann agus Aibhleog amach as an teach i ndiaidh a dtonnchlár. Agus, sula bhféadfá "Tarraing ort do bhríste!" a rá, tharraing Capa a bhríste aníos agus cheangail sé a chrios.

I bpreabadh na súl, bhí Fionn, Aoife, Canó, Lópán agus Capa ar ais sa spásárthach agus iad ar a mbealach ar ais go dtí an pláinéad Trogan.

Nuair a shroich siad an crann feasa bhí na bradáin feasa bailithe le chéile ag féachaint suas ar an gcrann bocht lom.

Nuair a chonaic siad na cairde ag teacht ar ais, agus an babhla lán le cnónna feasa acu, lig siad gáir mhór áthais astu.

Thóg Fionn an babhla ina lámh agus chaith sé na cnónna suas san aer. Leis sin, d'eitil na cnónna ar ais go dtí a n-áiteanna cearta ar an gcrann.

"Tá draíocht sna cnónna sin," arsa Fionn.

Agus bhí an ceart aige.

Ansin, lig Liú scréach as: "Féach, tá an cnó sin ar tí titim!"
"Ar aghaidh leat anois, a bhuachaill!" arsa Ossár.

Thit an cnó agus léim Liú suas agus rug sé air ina bhéal.
Las a shúile le fios agus le heolas agus chan sé an
t-amhrán seo:

"Lupadáin Lapadáin,
Cá bhfuil na Lúchorpáin,
Ba mhaith liom póg a thabhairt dóibh!

Canó cróga, Lópán lách,
Aoife aoibhinn, Capa cáiliúil,
Fionn le fios agus a bhuime Cáma,
Chuir siad an ruaig ar Dhearg dána!"

Rinne gach duine gáire mór agus thug siad
bualadh bos iontach mór do Liú. Bhí siad
iontach sásta go raibh siad tar éis dán a
fháil ó fhíorbhradán feasa.

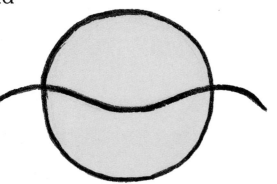

ISBN 1-85791-292-6

Arna chlóbhualadh in Éirinn ag Criterion Press Teo.

Le ceannach ó leabhar dhíoltóirí
nó orduithe tríd an bpost ó:
An Siopa Leabhar,
6 Sráid Fhearchair,
Baile Átha Cliath 2.

Orduithe ó leabhardhíoltóirí chuig:
Áis,
31 Sráid na bhFíníní,
Baile Átha Cliath 2.

An Gúm, 24-27 Sráid Fhreidric Thuaidh, Baile Átha Cliath 1